Ilustraciones:
ALEJANDRO AGDAMUS

Texto:
PEDRO GHERGO

# FELIPE EL COCODRILO

*- El viaje inesperado -*

**F**elipe era un cocodrilo fanfarrón y pendenciero. Siempre se divertía asustando a los animales de la selva. Cuando las cebras y los antílopes se acercaban a la orilla del río, Felipe nadaba despacio por debajo del agua y salía de repente, con toda la boca abierta, llena de dientes afilados y brillantes. Los pobres animales se pegaban un susto tremendo, y Felipe no podía parar de reírse.

Un día, el Gran Simón –el abuelo de los cocodrilos–
le advirtió:
–La boca del cocodrilo se abre sólo cuando hay pelea
o para atrapar la presa que vamos a comer. No deberías
hacer esas bromas, Felipe. Tarde o temprano la selva
te devolverá el mal que haces.

–¡Pero abuelo Simón, exageras! –respondió Felipe–.
Yo no hago ningún mal, sólo me río un poco.

El viejo cocodrilo, disgustado, se alejó pesadamente.

–¡Bah! –se dijo Felipe–. No es más que un viejo gruñón.
Y se metió en el agua.

Entonces el cielo se cubrió de densas nubes y muy
pronto se escuchó el retumbar de los truenos.
El agua del río comenzó a agitarse.

–¡Sal del agua Felipe, es peligroso! –le gritaron sus
amigos desde la orilla. Pero él no hizo caso: siempre
riendo, daba saltos sorprendentes y se sumergía
varios minutos para preocupar aún más a sus amigos.
Aquel día Felipe dio un salto descomunal y
se hundió en el agua.

Sin que se diera cuenta, la corriente
lo arrastró muy lejos, hasta un gran remolino.
Allí, en el fondo del río, un enorme agujero
chupaba el agua con una fuerza increíble.
Felipe sentía que el remolino lo tiraba hacia abajo,
y aunque luchaba y luchaba, no podía salir.
¡Se estaba hundiendo sin remedio!
Rendido de cansancio, se desmayó.

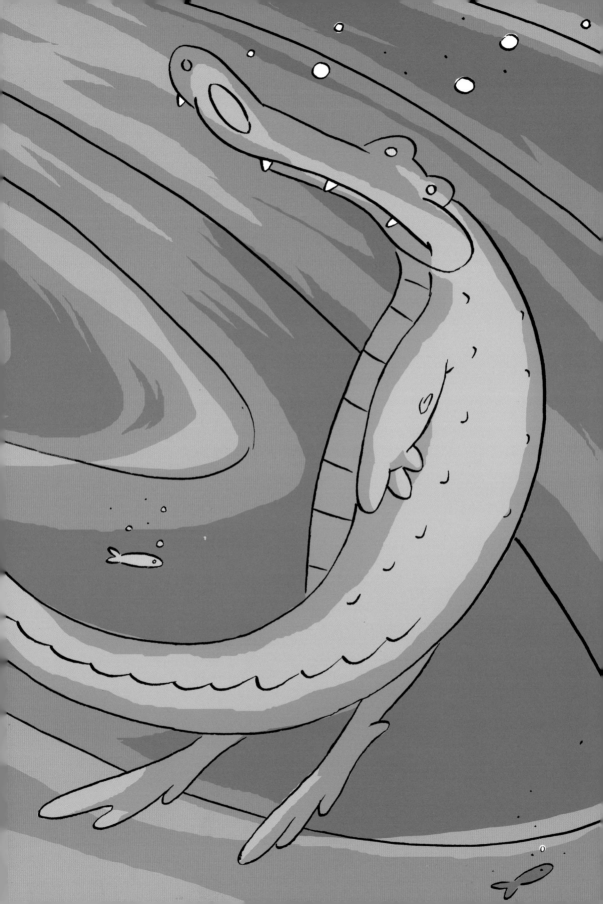

¿Cuánto tiempo pasó? Imposible decirlo.
Felipe se despertó de repente. Un aire frío le golpeaba
la cara. No se acordaba de nada. Respiró con fuerza
y abrió los ojos: ¡las orillas del río habían desaparecido!...
¡Agua por todas partes!...

–Pero... ¿de dónde ha salido toda esta agua? –se preguntó
el cocodrilo. Como estaba sediento, trató de beberla.
–¡Puajjjj! ¿Qué es esto? ¡El agua está salada!

¿Qué había sucedido? El remolino era la entrada
a un túnel larguísimo que salía al mar. Felipe nunca
había visto el mar, ni sabía que existía, y seguía
preguntándose una y otra vez:
–¿Dónde demonios estoy?

De pronto vio que se acercaba un grupo de peces
de lo más raros. Parecían naves espaciales achatadas
y con una larga cola. ¡Nunca había visto algo semejante!
Eran rayas inmensas, que venían a gran velocidad.
No pudo esquivarlas y chocó con una de ellas.

Enojada, la raya sacudió su cola como un látigo
y lo golpeó en plena mandíbula... Felipe sintió que todo
su cuerpo se estremecía ¡Creyó que lo había alcanzado
un rayo fulminante! Y no estaba tan errado, porque
la raya es capaz de lanzar terribles descargas eléctricas.

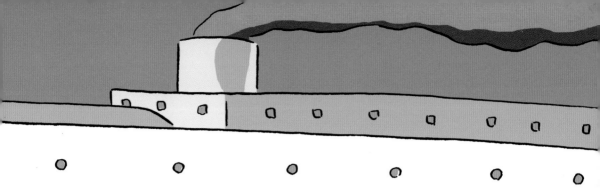

Ya repuesto, Felipe seguía pensando cómo llegar
a la costa. ¿Acaso aquella tormenta había inundado
la selva para siempre?
Entonces, un sonido como el soplido de cien
trompas de elefante sonó detrás de él: era la sirena
de un barco gigantesco que se le venía encima.
El cocodrilo trataba de escapar cuando sintió
que algo lo envolvía.

Felipe no podía moverse. Estaba atrapado entre cuerdas y sintió que lo sacaban del agua.
¡Había caído en la red de los pescadores!
Y no estaba solo. Un montón de pequeños peces, todos apretujados, le pedían:
–¡Sálvanos, gran pez verde!

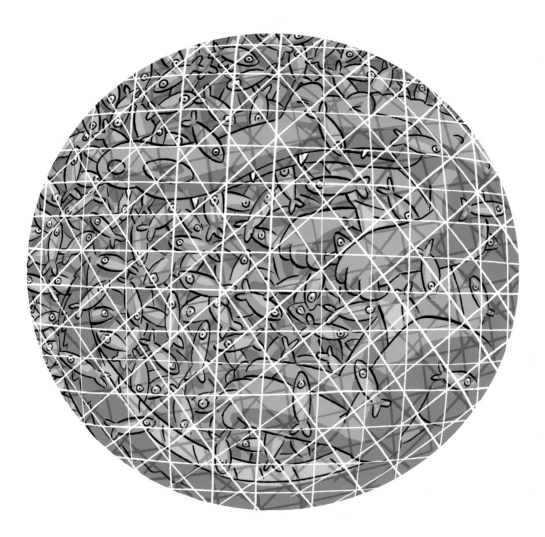

Felipe estiró su cola y empezó a frotarla contra las cuerdas como si fuera un serrucho.
Así consiguió romper la red y liberar a los peces.
Todos cayeron al mar.

–Pídenos lo que desees –dijeron los peces en señal
de agradecimiento.
–¡Quiero volver a mi casa, a mi río y a mi selva! –dijo
Felipe emocionado.
–¡A la costa! ¡A la costa! ¡Síguenos, amigo! –lo invitaron
los pececitos.

Toda la noche Felipe siguió al banco de peces
plateados. Finalmente divisaron tierra.
–¡Llegamos! –gritó Felipe, loco de contento–. ¡Amigos,
no sé cómo agradecéroslo!
–No tienes nada que agradecer. ¡Nos salvaste la vida!
El cocodrilo se despidió de los peces y prometió
visitarlos muy pronto.

¡Al fin Felipe volvía a pisar tierra firme!
Ahora sólo debía encontrar la desembocadura
de su río y remontarlo para llegar hasta su casa.
Emprendió la caminata sin perder un minuto.
Caminó hasta que los ojos comenzaron a cerrársele
de cansancio. Casi dormido, no se dio cuenta
de que los arbustos que bordeaban la playa
comenzaron a moverse...

De pronto, algo cayó encima de Felipe
y lo sujetó muy fuerte del pescuezo.

¡Que susto se llevó el cocodrilo!

Pero de un sólo movimiento consiguió librarse de su
agresor y dejarlo tendido en la arena: ¡era un monito!
—¡A éste me lo como de un bocado! —pensó Felipe,
que estaba hambriento. Pero al ver al pobre animal
indefenso, se detuvo.
—¿Qué mosca te ha picado? —le dijo al mono, entre
enojado y divertido—. ¿Es tu costumbre atacar cocodrilos
por las noches?

–¡Perdón! Sucede que, que...

El monito no pudo seguir, y se puso a llorar.

–Tranquilo, amiguito, no voy a hacerte daño
–lo tranquilizó el cocodrilo–. Mi nombre
es Felipe, ¿y el tuyo?

–El mío es Kila.

–Ven, Kila, ayúdame a hacer una fogata,
¡la noche es fría en la selva! ¿Acaso estás
perdido como yo?

–¿Perdido? No, sólo estaba... jugando.
–¡Jugando! ¡Vaya juego peligroso que has elegido!
–Bueno, en realidad el juego terminó hace rato –siguió
el mono–, y como yo perdí, ahora tengo que pagar
una prenda.
–¿Una prenda? ¿Qué clase de prenda?
–Debo capturar un cocodrilo. Eso es lo que dijeron
mis amigos. Claro, ellos creen que yo voy a aparecer
con una lagartija... pero si atrapo un verdadero
cocodrilo ¡seré el más admirado del grupo!
A Felipe comenzó a ocurrírsele
una idea...

–Veo que los dos tenemos problemas, tal vez
podamos ayudarnos. Yo te acompañaré hasta donde
están tus amigos... ¡Irás montado sobre mi pescuezo!
–le propuso Felipe al monito.
Kila se puso a saltar de alegría.
–Pero a cambio –continuó Felipe– deberás hacerme
un favor: tienes que ayudarme a encontrar el río
que me lleve a casa.

El monito abrió mucho los ojos y, para sorpresa
de Felipe, dijo:

—Cerca de donde vivo pasa un río que desemboca
en el Río de los Cocodrilos. Sólo tendrás que dejarte
llevar por la corriente.

La mirada de Felipe se iluminó.

—¿Qué estamos esperando?

Caminaron un largo trecho. Al amanecer divisaron
un grupo de palmeras.

–¡Es ahí! –señaló Kila.
Cuando llegaron, el monito lanzó un grito agudo...
Enseguida sus amigos se asomaron por todas partes:
no podían creer lo que estaban viendo.
Poco a poco, el asombro se transformó en alegría.
Entre los animales de la selva, siempre son bien
vistas las muestras de valor.
Más tarde Kila acompañó al cocodrilo hasta
el río prometido.

Felipe nadó y flotó todo un día y toda una noche.
Por la mañana vio a lo lejos al abuelo Simón paseando
por  la orilla.

–¡Abuelo Simón! ¡Soy yo, Felipe!

–¡Hijo! –dijo el viejo cocodrilo, lleno de alegría–.
¡Pensamos que te había pasado lo peor!

–Tenías razón, debí seguir tu consejo desde
el principio...

Esa tarde, los cocodrilos se reunieron a la luz del
crepúsculo y escucharon las maravillosas aventuras
del intrépido cocodrilo. También estuvieron
las cebras, los antílopes y otros animales inofensivos,
que supieron que desde ese momento Felipe
ya no volvería a asustarlos.

Título original:
*Felipe el cocodrilo. El viaje inesperado.*

© 2005, del texto: Pedro Ghergo
© 2005, de las ilustraciones: Alejandro Agdamus

© 2005, de esta edición:
Brosquil edicions – Valencia / www.brosquiledicions.es
albur producciones editoriales – Barcelona / www.albur–libros.com
La Panoplia Export – Madrid / www.panopliadelibros.com

Edición: Luisa Borovsky

Este libro es una realización de
**albur** producciones editoriales s.l.

Primera edición: noviembre de 2005

ISBN Brosquil: 84-9795-195-6 / 84-9795-200-6 (Rústica)
ISBN Albur: 84-96509-13-3 / 84-96509-18-4 (Rústica)

Printed in China
by South China Printing Co. Ltd.